ФОТО ПРИКЛЮЧЕНИЯ

Prod No.	100156
Date	08.10.19
Supplier	Everbest

T.P.S	250 x 186mm (portrait)
Extent	96 pages in 4/4 (CMYK) throughout.
	on 140gsm woodfree uncoated
Cover	Print in 4 colours (CMYK) on 350gsm white uncoated board, varnished 1/s.
Binding	Thread sew in 16pp sections. Cover drawn on and trimmed flush on 3 edges.

ФОТО

ПРИКЛЮЧЕНИЯ

Фото можно не снимать, а делать!

Автор идеи
Ян вон Холлебен

Автор текста
Монте Пэкхем

Издательство
«Искусство–XXI век»
Москва 2020

ЧТО ВНУТРИ?

ВСЕ ГОВОРЯТ

Меня зовут Ян вон Холлебен,
я профессиональный фотограф.
В этой весёлой книге полно
чудесных приёмов и трюков,
я ими пользуюсь для того, чтобы
превращать фотографию в игру.
Готовы поиграть?

«СЫ-Ы-Р»

Фотография — это не только
съёмка. Это возможность
превращать мир вокруг себя
в нечто забавное и волшебное.
В этом мире можно летать
и превращаться в любимых
супергероев.
Можно завязать узлом руки
и ноги, будто это длинные
макаронины.
Можно заблудиться
в конфетных джунглях
или придумать свои
собственные чудеса…

НАЧИНАЕМ

**Что надо,
чтобы начать игру:**

- *фотоаппарат
(любой, в смартфоне или настоящий)*

- *друзья и родные, которые согласятся
стать твоими фотомоделями,
помощниками и партнёрами*

- *зоркий глаз и твёрдая рука*

- *смешные костюмы, разные сокровища
и безделушки и даже всякий хлам
(обрезки и остатки) для создания
необычных персонажей и их окружения*

- *и неуёмная фантазия!*

БЕЗОПАСНОСТЬ

Всё, что я предлагаю делать в этой книге, рассчитано на ребят среднего школьного возраста.
Если в книге рекомендуется попросить о помощи взрослых — сделай это обязательно!
Когда нужно снять фото с высокой точки, стоя на лестнице или используя зеркала, помни, что без надёжного помощника всё это может быть очень опасным.

Начинаем
фотоигру!
Ну, как думаешь,
кто победит?

Чьи фантазии
осуществятся?
Может быть, мои.
Может быть, твои.

Переверни
страницу,
начинаем гонку:
первым делом
отправимся
в космос!

МЕЧТА

Кто умеет летать?
Ангелы и ракеты.
А с помощью фототрюков
сможешь полететь и ты!

О чём ты мечтаешь?
Хочешь взлететь под куполом цирка,
как гимнаст на трапеции?

Или покачаться на лиане, как Тарзан в джунглях?
А может поплавать, как скат в тропическом океане?
Или позволь ветру поднять тебя высоко-высоко…

КАК ПОДНЯТЬСЯ НА НОВУЮ ВЫСОТУ

Что для этого надо:

- лестница или кто-нибудь из взрослых с крепкими плечами
- пустой школьный двор или спортивная площадка
- приспособления для полёта

1. Для начала захвати с собой яркие костюмы и какие-нибудь «классные штучки», которые помогут оторваться от земли. *Пригодятся плащи и крылья (это и есть «классные штучки»). Ведьме нужна метла, чтобы взмыть ввысь. Может быть, шляпа с пропеллером? Да, именно с пропеллером!*

2. А теперь заберись повыше, чтобы сделать фото. Можно на лестницу, на балкон, на шею жирафа или к папе на плечи. Главное, чтобы тебя держали покрепче.

3. Посмотри вниз и объясни своим моделям, как нужно лечь и какую позу принять, чтобы казалось, будто они летят по воздуху. Земля (пол, ковёр) у нас будут «работать» небом.

1

2

3

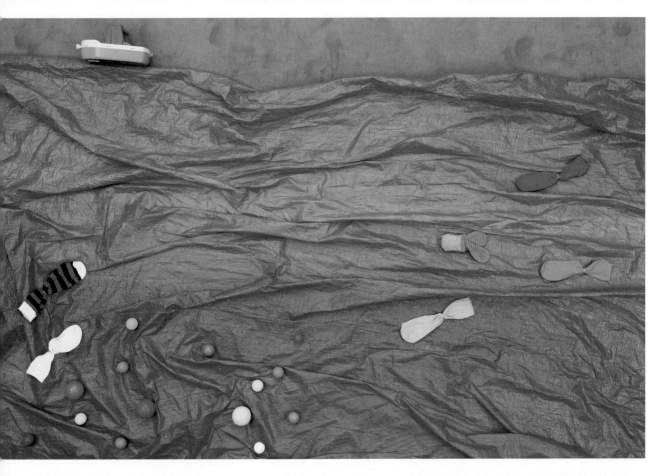

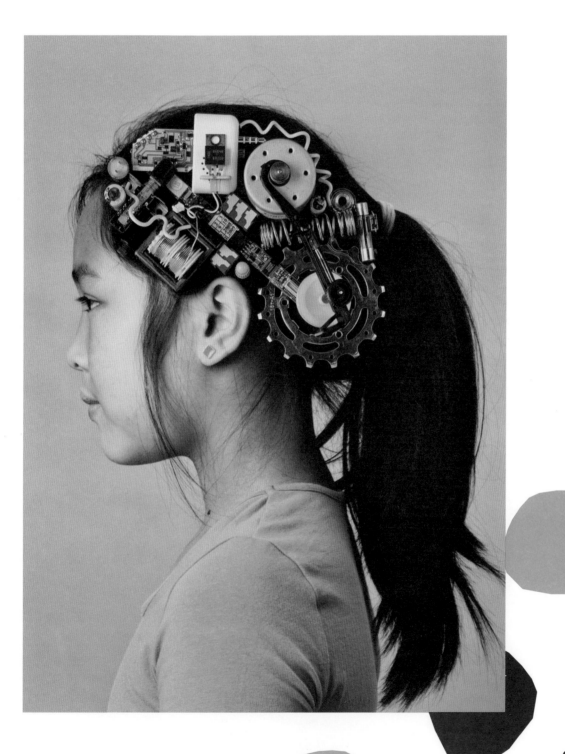

Привет, экспериментаторы!
Пора превращаться в фотоумников.

Какие секреты хранятся у тебя в голове?
Может ты умник или умница и в твоей
голове полно блестящих идей
по переделке мира?

Или мир всего лишь одна из планет
в твоей личной вселенной?
Твои волшебные мысли могут вспыхнуть
разноцветными искрами раньше,
чем ты это поймёшь. (стр. 23)

Можешь погладить бороду
(это иногда помогает).
Но сначала
нужно её отрастить! (стр. 27)

КАК РАЗВИТЬ СВОЁ ВООБРАЖЕНИЕ

Что для этого надо:

- фото себя любимого (себя любимой)

- плоская поверхность: стол, пол

- предметы, которые смогут «показать» твои мысли

- длинные руки или палка для селфи

1. Распечатай своё фото (или фото друга). Размер? Чем больше, тем лучше. Хорошо если фон будет однотонным. А теперь включи воображение! Собери всё, что может изобразить твоё невидимое «Я».

2. Сделай коллаж. Разложи эти предметы на фотографии (не нужно их приклеивать).

3. Получилось? Нравится? Сфотографируй.

Ура! Твой невероятный портрет готов!

3

4

БОИШЬСЯ

УПАСТЬ?

Фотография поможет
превратить этот страх
в творческий порыв!

Падать по-настоящему страшно.
Попробуем исправить это с помощью фото.
Можно парить, скользить, нырять и пикировать.
Можно, как самолёт, делать мёртвую петлю.

КАК ПЕРЕВЕРНУТЬ ФОТОГРАФИЮ С НОГ НА ГОЛОВУ

Что для этого надо:

- пустой угол и много свободного места вокруг
- ловкие помощники

1. Найди угол в комнате с пустыми стенами и полом. Нагибайся, крутись и вертись так, чтобы получилась «падающая» поза.

2. Дай себя сфотографировать, а потом переверни фотографию.

3. Абракадабра! Право и лево превратились в верх и низ! И вот ты уже кувыркаешься в пространстве в своё удовольствие.

1

2

ДАЛЬНИЕ

Пакуй чемоданы —
мы отправляемся
в дальние страны.
Выбирай — куда ехать!

37

Могучие стебли в Пшеничном городе
касаются лёгких облаков.

В Цветочном городе пышно
цветут гигантские гортензии.

А можно назначить встречу
в совсем необычном месте:
в песчаной пустыне, например,
или на заснеженных холмах.
(стр. 42–43)

КАК УВИДЕТЬ ВСЁ ПО-НОВОМУ

Что для этого надо:

- ровная местность во дворе или парке
- крепкая скамейка
- предметы для создания нового мира (например, мячи или подушки)
- реквизит для исследовательских целей

1. Чтобы начать путешествие, построй волшебный пейзаж как можно ближе к камере. Ляг на землю, и если снимаешь фотоаппаратом, установи диафрагму между 11 и 22 — всё будет чётко и в фокусе.

2. Чуть повыше за этим волшебным пейзажем должно быть место (скамейка подойдёт), куда смогут забраться твои друзья-исследователи новой Вселенной.

3. Из-за того что построенный тобой пейзаж ближе к камере, чем твои модели, ты увидишь, что в кадре они оказались среди предметов гигантских размеров.

1

2

3

ПОКАЗ

Твоё новое увлечение
фотографией поможет
покорить мир моды!

Примерь пышную зелёную шляпу,
достойную королевы фей.

А как тебе модный головной убор
из добрых старых книг?

А может попробовать что-то совсем
неожиданное, чтобы был сюрприз для всех?

КАК СОЗДАТЬ
СОВЕРШЕННО НОВЫЙ ОБРАЗ

Что для этого надо:

- зеркало без рамы,
  как на шкафчике
  в ванной

- друзья-модники

- интересные вещицы
  из разных тайников
  в доме

1. Попроси свою модель держать
   зеркало точно посередине лица. А твои
   помощники должны разместить модный
   реквизит (карандаши, ласты) так,
   чтобы они находились с одной стороны
   и отражались в зеркале.

2. Убедись, что руки помощников не видны
   в кадре и что причёска твоей модели
   украшена самым невероятным образом.
   А теперь: Свет! Камера! Мотор!

Не говори никому, что должно получиться.
Пусть гадают — пока фотографии
не будут готовы и ты, наконец,
покажешь их всем.

1

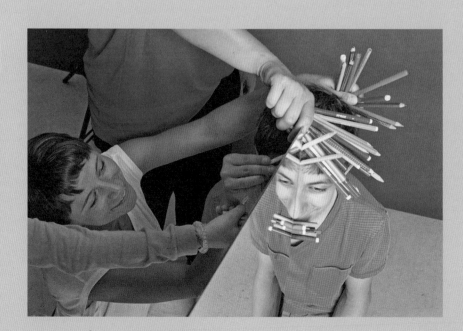

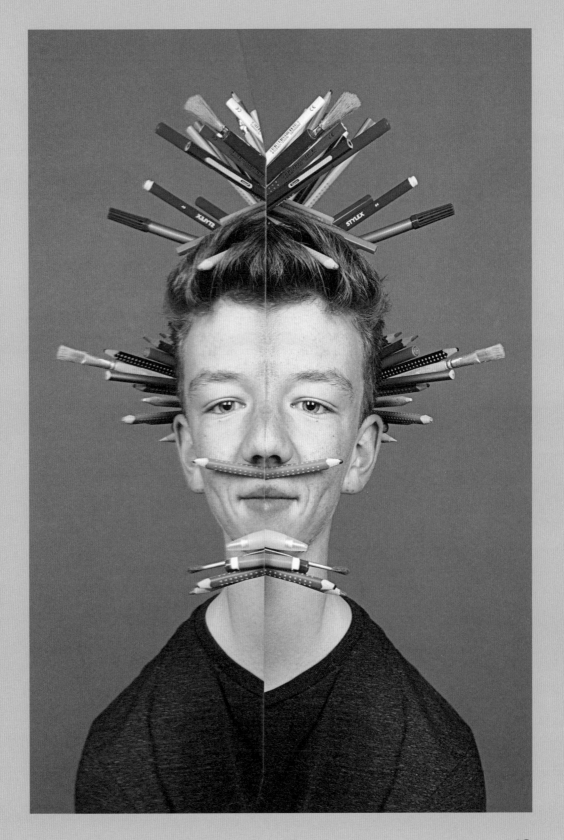

В РАВНОВЕСИЕ

Ох и неустойчивая эта игра!
Но очень весёлая
и никогда не надоест!

КАК СДЕЛАТЬ НЕВОЗМОЖНОЕ ВОЗМОЖНЫМ

Что для этого надо:

- большая комната или двор
- предметы разных размеров
- штатив или низкий стол, чтобы установить камеру

1. Освободи пространство на полу. Стена на заднем плане тоже должна быть пустой. Разложи предметы на плоскости так, чтобы казалось, будто они, балансируя, держатся друг на друге.

2. Камеру нужно расположить как можно ближе к полу. Наклони объектив немного вниз, диафрагма между 11 и 22 — всё будет в фокусе. Поставь камеру на штатив или на низкий стол, чтобы она не дёрнулась в момент съёмки.

Используй разные ракурсы!
Предметы «качаются» из стороны в сторону, не выпускай их из виду!

1

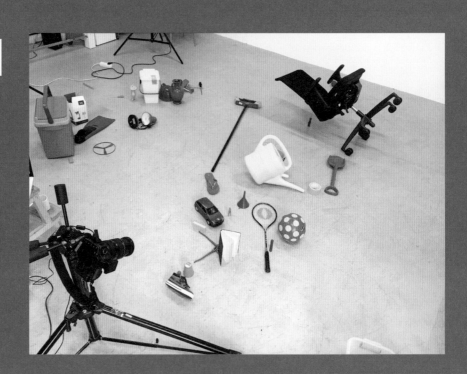

2

ИГРАЕМ

Совершенно новый подход
к игре в прятки!
Любопытно?
Давай посмотрим!

С помощью зеркал можно
сделать из двух ног шесть.

Можно преодолеть земное
притяжение и, взмахнув
крыльями, парить над полом.

Можно представить,
что рука — это паук, ползающий
по стеклянной стене.

В конце концов, можно
исчезнуть,
и останутся только пять улыбок
от уха до уха.

КАК МЫСЛИТЬ
НЕСТАНДАРТНО

Что для
этого надо:

- картонные коробки

- друзья, которые любят
  прятаться

- помощник за кадром,
  чтобы удерживать
  коробку

*Чтобы решить эту головоломку,
достаточно соединить две фотографии
в одну, как на картинке справа внизу.
Смотри, как весело нашему герою.*

1. Внизу на картинке — только голова, руки
   и туловище.

2. А справа вверху? Только ноги!

3. Сложи правую и левую части:
   пусть все увидят, какие чудеса
   ты умеешь творить!

1

ДИКИЕ

Эти фотографии
не для слабаков,
они для отважных,
храбрых и дерзких!

Покажи-ка миру свою тёмную сторону, всех этих чудовищ, которые живут внутри.

Вот рогатый вопящий монстр в мантии из ракушек.

Остальные чудовища, чтобы выглядеть пострашнее, нарядились в чешую из стручков, кукурузных зёрен и семян-«носиков».

ЗАЧЕМ НУЖНО НАВЕДАТЬСЯ В ДИКУЮ ЧАЩУ?

Что для этого надо:

- твои фотографии в самых неожиданных позах
- друзья, которые готовы искать приключения на свою голову
- пакет для добычи (для даров природы)
- удобная плоскость для работы

1. Выбери солнечный день для долгой прогулки с друзьями в какое-нибудь дикое место. Куда? *В джунгли или в лес, в поле или степь. По дороге можно делать фотографии.*

2. Начинаем собирать дары природы. Всё пригодится: *палки, кора и ягоды, листья, семена, шишки, цветы, сосновые иголки и камни.*

3. Положи свою фотографию на плоскую поверхность. Сверху размести свои находки. Хорошо получилось? А теперь сделай фото — «дикая» фотография готова.

1

2

3

ВОЛШЕБНЫЕ

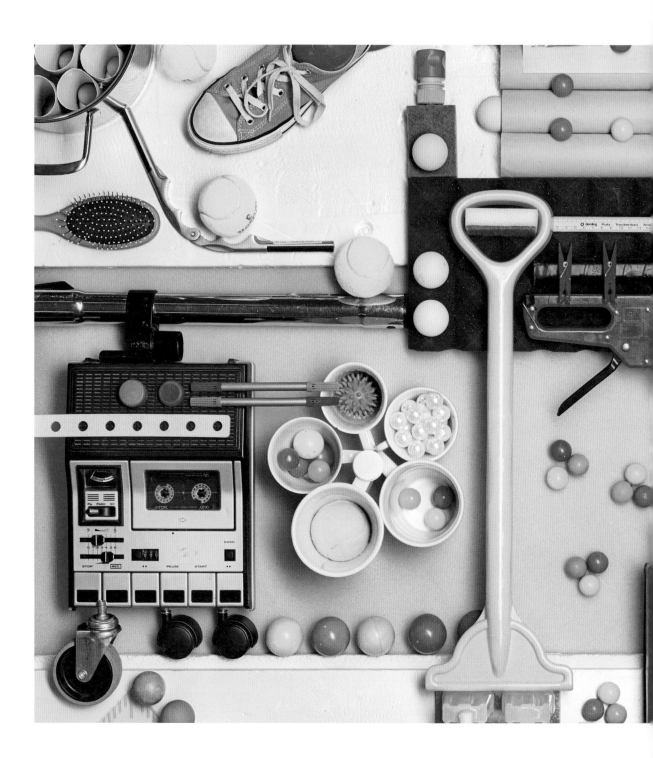

МЕХАНИЗМЫ

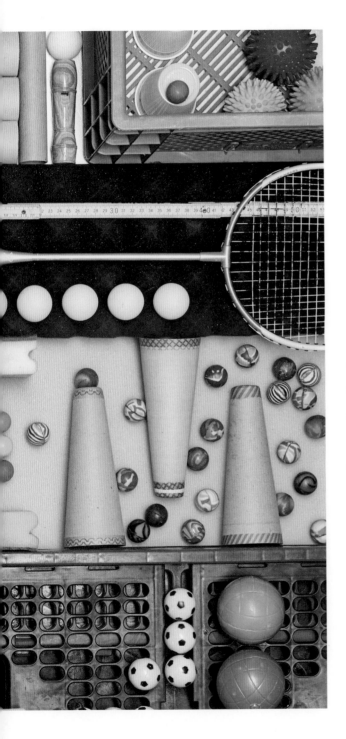

Придумай механизмы,
которые могут скрипеть,
пищать и хлопать —
твоя мастерская
должна работать!

КАК УСТРОИТЬ
ЭТО ВОЛШЕБСТВО

Что для этого надо:

- ровная поверхность
- разные предметы, включая щары всех видов: шарики для пинг-понга и мячики для гольфа
- пластилин или липучки, чтобы прикреплять всё это на нужные места

1. Подготовь место на столе или на коврике (подальше от домашних питомцев или маленьких детей — те и другие любят хватать всё, что плохо лежит).

2. Соверши набег на гараж, перебери вещи на выброс, загляни в коробку с игрушками — всё может пригодиться.

3. Аккуратно разложи все эти шарики и колёса, трубки и шестерёнки, чтобы они выглядели деталями твоего механизма.

А теперь сфотографируй то, что получилось, сверху с руки или используя палку для селфи.

1

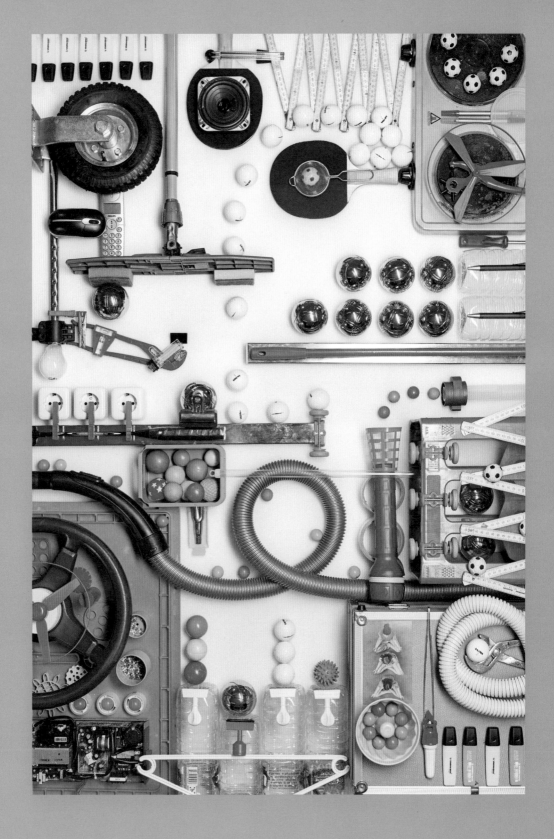

ЗЕРКАЛЬНЫЕ

МОНСТРЫ

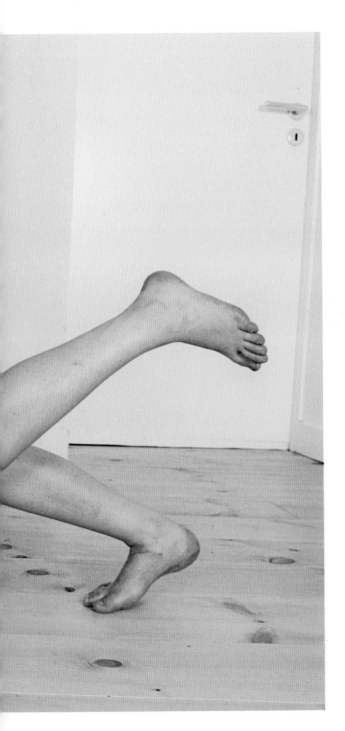

Зеркальные чудовища!
Страшные создания!
Но почему же они чем-то
похожи на твоих друзей?!

Подумать только, как эти
неприятные существа
таращат на тебя глаза!
Хотят напугать
своей многорукостью?

Как крепко стоят они на четырёх ногах,
А кое-кто даже парит в воздухе и не падает!

КАК ПОДРУЖИТЬСЯ С МОНСТРАМИ

Что для этого надо:

- зеркало в полный рост, как на двери шкафа
- хорошие, верные друзья
- одежда поярче

1. Чтобы оживить монстров, поставь большое зеркало на пол и крепко его удерживай.

2. Пусть твой друг спрячется наполовину за зеркалом так, чтобы в нём отразилась его вторая половина.

3. Попроси его или её подвигать руками и ногами влево, вправо, вверх и вниз, пока не получится уморительная картинка.

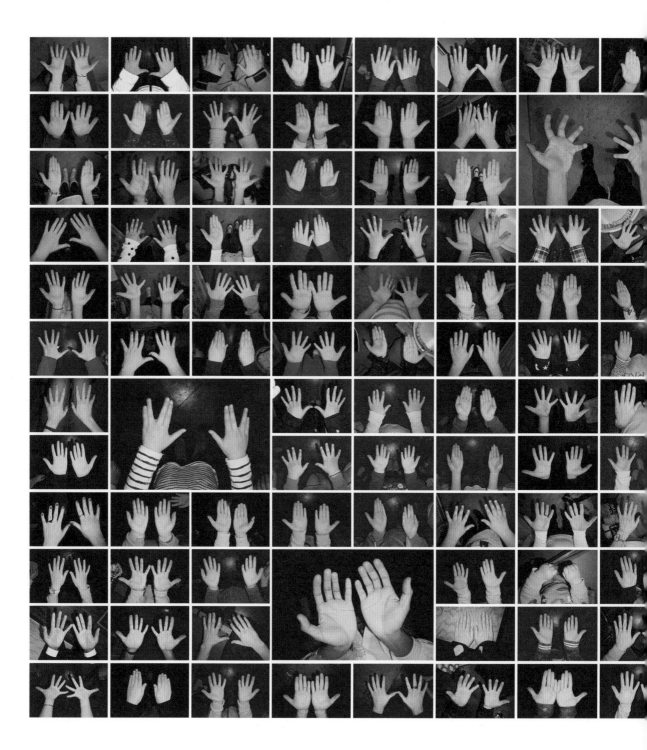

88

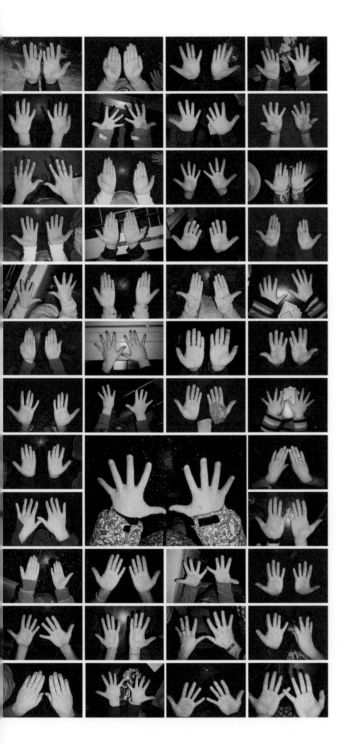

Ты восходящая фотозвезда, и эти советы помогут тебе двигаться дальше.

Если тебе понравились идеи из этой книги,
пришло время придумать что-то своё.
Но сначала мы поделимся с тобой секретами,
которые помогут тебе в пути.

ЦВЕТ

С цветом не так просто, как кажется.
Главное — как мы его представляем.
Красный — это клубничный пирог,
а зелёный — сверкающие глаза питона,
жёлтый — волосы русалки,
голубой — драгоценные сапфиры.

ПРОТИВОПОСТАВЛЕНИЕ

Попробуй соединить то,
что кажется несовместимым!
Как тебе мороженое с овощами?
Не бойся переворачивать с ног
на голову привычные вещи.
Противоположности притягиваются:
молодое к старому, большое
к маленькому, робкое к дерзкому,
а низкое к высокому.

КОМПОЗИЦИЯ

Что куда? И кто куда?
Вверх, вниз, туда, сюда,
право, лево или серединка?
Расставляй и уравновешивай,
внимательно смотри,
что нужно для создания
фотоголоволомки.

ВСЁ ЗАВИСИТ ОТ ТЕБЯ

*Фотографы сами решают,
что им делать: кого и где
снимать, чьи мечты воплощать.
Ты организуешь процесс
съёмки, но не забывай
при этом веселиться!*

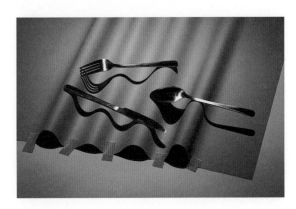

СВЕТ

Используй вместе светлое
и тёмное, чтобы получилось
яркое, смелое изображение.
Для съёмки лучше всего
подходит пасмурный день
или мягкий солнечный свет.

ФОТО

ШКОЛА

Чем больше ты учишься, тем больше узнаёшь, как сделать свои фотографии ещё интереснее и лучше.

Я почти уверен, что ты отправишься в фотопутешествие со своим шикарным смартфоном.
Но если однажды ты решишься снимать профессиональной камерой, вот что тебе нужно знать.

ДИАФРАГМА
Это маленькое отверстие в шторке, которая закрывает объектив. Через него проходит свет. Диафрагма контролирует глубину кадра и то, что должно оказаться в фокусе. Чем больше она открыта, тем больше света попадает в камеру, но тогда меньшая часть изображения будет чёткой. Если отверстие диафрагмы уменьшить, света будет меньше, но изображение будет чётче, оно будет в фокусе.

СКОРОСТЬ ЗАТВОРА
Затвор — это дверца, которая открывается и закрывается, впуская внутрь камеры свет. Как долго нужно держать её открытой? Высокая скорость затвора «замораживает» движение, медленная — «размывает» изображение.

ФОКУСНОЕ РАССТОЯНИЕ
Фокусное расстояние — твой лучший друг! Оно помогает выбрать, что именно попадёт в твой кадр и насколько большим будет изображение.

ФОКУС
Всё, что в фокусе, выглядит чётко и резко. То, что не в фокусе, выглядит мягким и размытым. Используй фокус, чтобы подчеркнуть самое важное в твоей фотографии.

ЛИНЗЫ

Увеличительная линза (зум) поможет приблизить
и увеличить далёкие объекты.
Создаётся видимость, что они рядом.
Широкоугольная линза, как круглый рыбий глаз,
поможет увидеть всё вокруг в радиусе 180 градусов.

КАДРИРОВАНИЕ

А вот тут нет ничего сложного, надо всего лишь
убрать лишнее!
Каковы границы твоей фотографии?
Что оставить, а что вырезать?
Иногда чем меньше видно, тем лучше.

ФОТОПЕЧАТЬ

Фотографии бывают самыми разными!
Вариантов полно, выбирай!
Отпечатки могут быть яркими и блестящими
или скромными чёрно-белыми.
Неважно, большими они будут или маленькими,
повесь их на стенку, пусть все видят!

Большущее СПАСИБО моим маленьким
и большим друзьям, друзьям друзей и их друзьям,
а также их родителям, бабушкам и дедушкам,
братьям и сёстрам, дядям и тётям — всем,
кто участвовал в создании этой книги. Без их
чувства юмора, азарта, игривости и доверия
ко мне как к фотографу эта фотоигра никогда бы
не увидела свет. Эта книга для вас и ваших новых
друзей, для тех, кому тоже понравилась игра
в фотографию.

Ян вон Холлебен

Безопасность
Все задания из этой книги могут
выполняться только под присмотром
взрослых. Автор, фотограф и издатель
не несут ответственности за повреждения
или травмы, полученные при выполнении
действий из данной книги.

Ян вон Холлебен, Монте Пэкхем
Фотоприключения
УДК 77
ББК 85.16
Х 72

@ Издательство «Искусство–XXI век». Русское издание, 2020

ISBN 978–5–98051–201–9

Перевод с английского Т. Скоробогатова, С. Шкворченко
Корректор Ю. Евстратова
Верстка Н. Борщевский
Оформление П. Летягина

Подписано в печать 10.09.2019
Формат 185 × 250 мм
Объем 96 с.
Тираж 2000 экз.
Изд. № 201

Издательство «Искусство–XXI век»
119002, Москва
Переулок Сивцев Вражек, д. 14, пом. IV
Тел./факс: +7 499 241 6465
E-mail: art21@ropnet.ru
Отдел продаж: +7 499 241 4995
E-mail: L-sale@ropnet.ru

www.iskusstvo21.com
www.instagram.com/iskusstvo_21vek
www.vk.com/iskusstvo21
www.facebook.com/iskusstvo21

Отпечатано в типографии Everbest Printing Co. Ltd, Китай